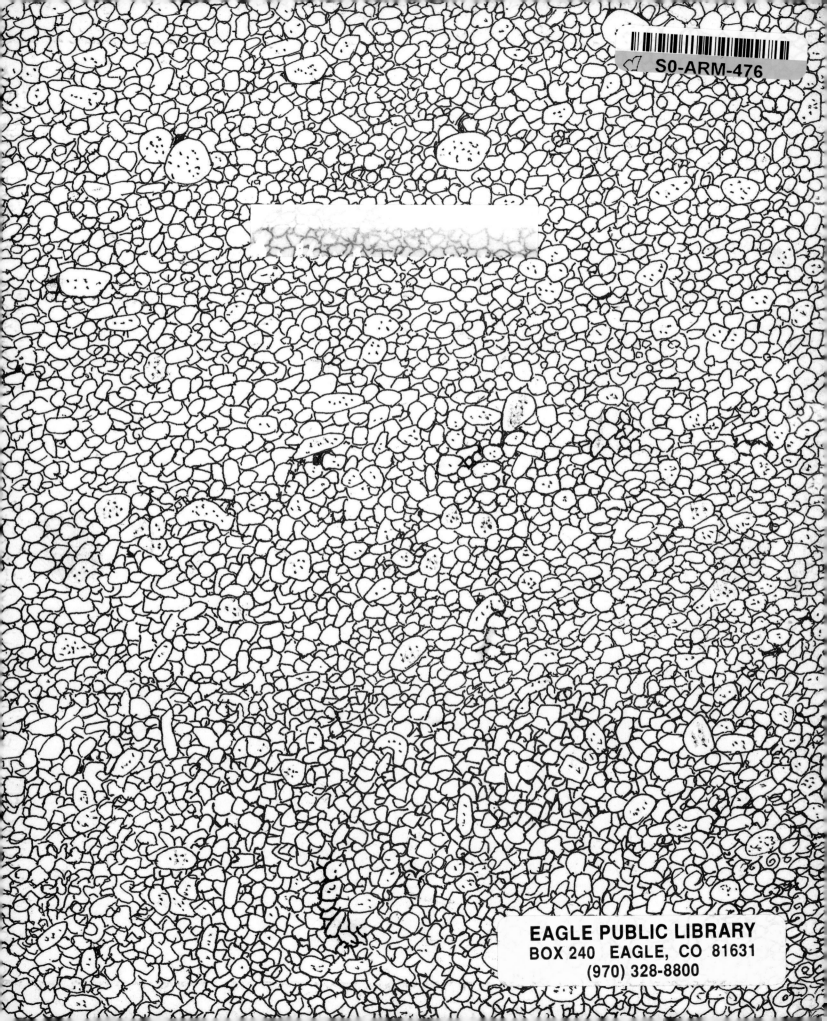

Traducción: Verónica Uribe

Primera edición en tapa dura, 2014

© 1994 Leo Lionni
© 1998 Ediciones Ekaré

Av. Luis Roche, Edif. Banco del Libro, Altamira Sur. Caracas 1060, Venezuela

C/ Sant Agustí 6, bajos. 08012 Barcelona, España

www.ekare.com

Publicado por primera vez en inglés por Alfred A. Knopf, Nueva York
Título del original: *An Extraordinary Egg*

ISBN 978-84-941716-7-3 · Depósito Legal B. 24745-2013

Impreso en China por South China Printing Co. Ltd.

Una piedra extraordinaria

Leo Lionni

Ediciones Ekaré

En la isla Pedregosa, vivían tres ranas: Marilyn, Augusto
y otra que siempre andaba por ahí, vagando.

Esa otra se llamaba Jessica.

A Jessica todo le parecía maravilloso. Daba largos paseos
por la isla Pedregosa, explorando y recogiendo cosas,
y regresaba al caer la tarde gritando:

—¡Encontré algo muy curioso!

Y aunque tan solo fuera una piedrita común y corriente,
ella decía:

—Es extraordinaria, ¿verdad?

Pero a Marilyn y a Augusto nada les impresionaba.

Un día, en un montón de piedras, Jessica encontró
una completamente distinta a las otras. Era perfecta,
blanca como la nieve y redonda como la luna en
una noche de verano. Aunque era casi tan grande
como ella misma, Jessica decidió llevársela a casa.

«¿Qué dirán Marilyn y Augusto cuando la vean?»,
se preguntaba Jessica mientras hacía rodar la hermosa piedra
rumbo a la pequeña ensenada donde vivían las tres ranas.

—¡Encontré una cosa fantástica! —gritó con voz triunfante—.
¡Una inmensa piedra redonda!

Esta vez, Marilyn y Augusto estaban de verdad asombrados.

—Eso no es una piedra —dijo Marilyn que sabía todo de todo—.
Es un huevo. Un huevo de pollo.

—¿Un huevo de pollo? ¿Y cómo sabes tú que es un huevo
de pollo? —preguntó Jessica que nunca había oído hablar de pollos.

Marilyn sonrió:

—Hay cosas que una simplemente sabe.

Unos días después, las ranas escucharon unos ruidos extraños que venían del huevo. Miraron sorprendidas cómo el huevo se quebraba y cómo de adentro salía una criatura larga y escamosa que caminaba sobre cuatro patas.

—¡Yo tenía razón! —gritó Marilyn—. ¡Es un pollo!

—¡Un pollo! —gritaron todas.

El pollo tomó aire, gruñó, miró una a una a las asombradas ranas, y preguntó con una vocecita rasposa:

—¿Dónde está el agua?

—¡Aquí mismo! ¡Enfrente! —gritaron las ranas emocionadas.

El pollo se lanzó al agua y las ranas se zambulleron
detrás de él. Para sorpresa de las tres, el pollo era un buen
nadador, rápido también, y les enseñó nuevas maneras de
flotar y chapotear. Se divirtieron muchísimo y jugaron desde
el amanecer hasta la caída del sol.

Y así fue por muchos días.

Y entonces, una tarde en que todos creían que Jessica
andaba vagando por ahí, Augusto y Marilyn vieron que
el agua de la poza se revolvía y arremolinaba. Alguien parecía
estar en peligro allá abajo. El pollo se lanzó al agua oscura
sin pensarlo. Augusto y Marilyn estaban asustados.

Después de unos largos minutos, el pollo reapareció sujetando a Jessica.

—Estoy bien —dijo Jessica tomando aire—. Me había enredado en unas algas, pero el pollo me salvó.

Desde ese día, Jessica y su salvador se convirtieron
en amigos inseparables. Adonde fuera Jessica, allá iba el pollo.
Viajaron por toda la isla. Fueron al sitio secreto que tenía
Jessica para pensar…

... y llegaron hasta la Gran Piedra.

Un día, fueron a un lugar donde Jessica jamás había estado.
Un pájaro rojo y azul voló hacia ellos desde un árbol.
—¡Aquí estás! —chilló el pájaro cuando vio al pollo—.
¡Tu madre te ha estado buscando por todas partes!
Ven, te llevaré donde ella.

Siguieron al pájaro por mucho mucho tiempo. Caminaron
y caminaron, bajo el tibio sol y la fría luna, hasta que...

... se encontraron con la criatura más extraordinaria
que jamás habían visto.

Estaba dormida. Pero cuando escuchó al pollo decir «¿Mamá...?», abrió lentamente un ojo, sonrió una enorme sonrisa y con una voz suave como el susurro del viento, dijo:

—Ven aquí, mi dulce y pequeño caimán.

El pollo se subió feliz a la nariz de su mamá.

—Ahora debo irme —dijo Jessica—. Te echaré mucho de menos, querido pollo. Ven a visitarnos pronto, y trae a tu mamá también.

Jessica estaba tan ansiosa por contarles a Marilyn
y Augusto lo que había sucedido que llegando
a la ensenada, gritó:

—¡Es increíble lo que pasó con el pollo!

Y les contó todo.

—Lo más divertido es cómo la mamá llamaba
al pollo. Le dijo «mi dulce y pequeño caimán».

—¡Caimán! —dijo Marilyn—. ¡Qué cosa más tonta!

Y las tres ranas no podían parar de reírse.

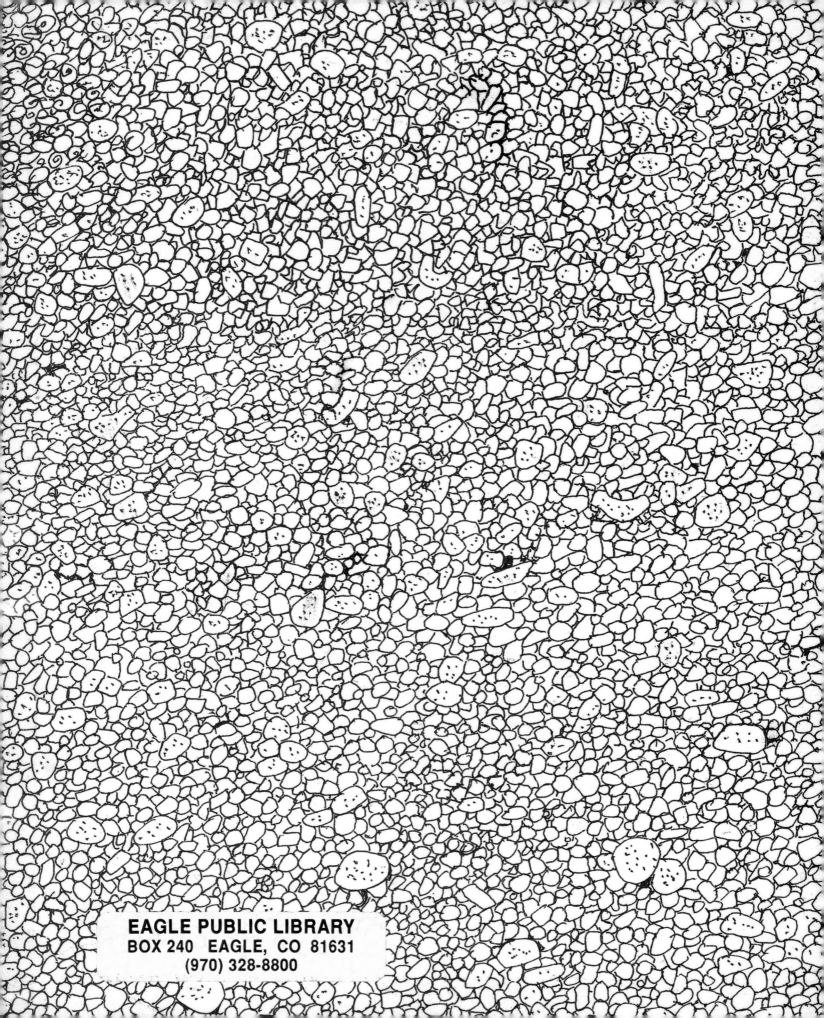